Bienvenue
dans le monde des

Téa Sisters

ALBIN MICHEL JEUNESSE

Salut, c'est Téa, la sœur de Geronimo Stilton! Je suis envoyée spéciale de «L'Écho du rongeur», le journal le plus célèbre de l'île des Souris. J'adore les voyages et j'aime rencontrer des gens du monde entier, comme les Téa Sisters. Ce sont cinq amies vraiment épatantes. Je vous les présente!

Colette a une vraie passion pour le rose et c'est la fille la plus *fashion* du groupe. Toujours occupée à soigner son look, elle est sans cesse en retard!

Violet aime étudier et découvrir sans cesse de nouvelles choses. Elle aime la musique classique et rêve de devenir une grande violoniste!

Paméla mangerait sa pizza adorée même au petit déjeuner. C'est une mécanicienne accomplie. Donnez-lui un tournevis et elle vous réparera n'importe quel moteur!

PAULINA est un peu timide et brouillonne, mais aussi très altruiste. Comme elle aime voyager, elle connaît des gens de tous les pays.

Nicky est passionnée d'écologie et de nature. Elle vient d'Australie et aime la vie au grand air. Elle ne tient pas en place!

Téa Sisters

Texte de Téa Stilton.
*Basé sur une idée originale d'*Elisabetta Dami.
*Coordination des textes d'*Alessandra Berello *(Atlantyca S.p.A.).*
Sujet et supervision des textes de Flavia Barelli *(Red Whale).*
Coordination éditoriale de Patrizia Puricelli.
Édition de Daniela Finistauri.
Coordination artistique de Flavio Ferron.
Assistance artistique de Tommaso Valsecchi.
Couverture de Giuseppe Facciotto.
Illustrations intérieures de Chiara Balleello *(dessins) et* Francesco Castelli *(couleurs).*
Graphisme de Yuko Egusa.
Cartes : Archives Piemme.
Traduction de Béatrice Didiot.

www.geronimostilton.com

Pour l'édition originale :
© 2010, Edizioni Piemme S.p.A. – Via Tiziano, 32 – 20145 Milan, Italie
sous le titre *Cinque amiche per un musical*
International rights © Atlantyca S.p.A. – Via Leopardi, 8 – 20123 Milan, Italie – www.atlantyca.com
contact : foreignrights@atlantyca.it
Pour l'édition française :
© 2011, Albin Michel Jeunesse – 22, rue Huyghens, 75014 Paris – www.albin-michel.fr
Loi 49-956 du 16 juillet 1949 sur les publications destinées à la jeunesse
Dépôt légal : second semestre 2011
N° d'édition : 19340
ISBN-13 : 978 2 226 23046 1
Imprimé en France par Pollina S.A. - L57535A

Stilton est le nom d'un célèbre fromage anglais. C'est une marque déposée de Stilton Cheese Makers' Association. Pour plus d'informations, vous pouvez consulter le site www.stiltoncheese.com

Téa Stilton

CINQ AMIES POUR UN SPECTACLE

ALBIN MICHEL JEUNESSE

Un spectacle mystérieux

Ce matin-là, les allées et venues des étudiants à travers les couloirs du collège de Raxford semblaient plus animées que jamais.

L'année scolaire touchait à son terme et les pensionnaires ne parlaient plus que de la NOUVEAUTÉ du moment : la grande fête que tous les professeurs étaient en train d'organiser pour célébrer la fin de la première année du cours sur les *arts*, la MUSIQUE et le SPECTACLE.

Ce nouveau programme d'enseignement, dirigé par madame Ratinsky, avait en effet débuté cette année-là et était suivi par de très nombreux élèves.

La soirée devait avoir lieu dans moins d'un mois, mais les enseignants persistaient à garder le SECRET sur le spectacle qui serait monté. On savait seulement qu'il réunirait les différentes disciplines travaillées dans le cours de madame Ratinsky : la danse, le chant et l'art dramatique... a priori une COMÉDIE MUSICALE, donc !

Les Téa Sisters avaient cédé à l'euphorie générale. Chargées d'un balai, d'un seau, de serpillières et de chiffons, elles bavardaient JOYEUSEMENT en traversant le jardin en direction d'une vieille serre désaffectée que le professeur Ratcliff leur avait demandé de remettre en état.

– Un peu de MÉNAGE et la serre resplendira ! s'exclama Nicky en brandissant ses ustensiles de nettoyage d'un air résolu.

– Exact, et moi, je suis impatiente d'y planter

des ROSES, ajouta Colette en contemplant les plants de FLEURS qu'elle transportait.

– C'est vraiment une bonne idée, Coco! commenta Paulina. Elles donneront de la COULEUR et du parfum !

Désignant la GUIRLANDE lumineuse dans ses bras, Violet renchérit :

BONNE IDÉE !

– Et nos décorations apporteront la touche finale, pas vrai, Pam ?

– Euh… oui, bien sûr ! confirma celle-ci, qui avait renoncé à mettre de l'ordre dans ses DÉCORATIONS et les transportait tout emmêlées, au risque de trébucher à chaque pas. Les filles croisèrent alors Rosalyn Plié, qui se dirigeait vers l'entrée principale du collège. Elle avait l'air CONTRARIÉ et ne semblait pas les avoir remarquées.

– Bonjour, professeur ! la salua Nicky.

– Ah… *bonjour* ! répondit-elle DIStRAitemeNt en s'arrêtant.

Les cinq amies ne l'avaient jamais vue aussi soucieuse !

– Excusez-moi, commença-t-elle à expliquer en s'arrachant à ses pensées, j'allais à la réunion sur le spectacle de fin d'année et je ne vous avais pas vues…

À ces mots, les yeux de Pam se mirent à briller.

– Ce sera une COMÉDIE MUSICALE, pas vrai ?

– Oh, s'il vous plaît, implora Paulina, dévorée par la curiosité, rien qu'un petit indice !

Colette prêta main-forte à ses amies :

– **Allez ! Dites-nous seulement son titre !**

Mademoiselle Plié lâcha un profond soupir : comment avouer à ces **filles** pleines d'enthousiasme... qu'elle n'en avait pas la moindre idée ?!

UNE CHUTE...
ET UNE IDÉE !

– Son titre ? J'aimerais bien le connaître moi-même, répondit-elle, abattue. La réunion avec les autres enseignants va commencer et je ne peux…

– GROS SCOOP ! claironna Tanja, soudain surgie de nulle part. Les professeurs sont sur le point de choisir le thème du SPECTACLE… OUUUPS ! La jeune fille se prit les pieds dans les guirlandes enchevêtrées de Pam et, bousculant Nicky et Violet, les entraîna toutes dans sa chute !

PATATRAS !

Tanja se releva aussitôt, embarrassée.

– Euh… excusez-moi ! Je voulais seulement vous dire qu'ils vont bientôt décider…

– … **QUEL SPECTACLE SERA MONTÉ !** répondirent les Téa Sisters en chœur. Mademoiselle Plié était justement en train de nous en parler…

– Absolument, confirma celle-ci. Madame Ratinsky m'a chargée de le choisir !

– Magnifique ! s'exclama Tanja. Vous avez déjà une idée ?

– Ma foi, il faudrait quelque chose de léger, avec de nombreux personnages, des univers **VARIÉS** et un beau répertoire musical ! Ce n'est malheureusement pas facile à trouver…

En prononçant ces mots, Rosalyn Plié eut justement une idée. Il suffisait de jeter un coup d'œil au **JOYEUX** désordre provoqué par Tanja pour y penser !

HÉ !

Pam, toujours au sol, portait un écheveau de guirlandes sur la tête, qui faisait penser à la crinière d'un **LION** ébouriffé.

Nicky, couverte des brins de paille qui s'étaient détachés de son balai, ressemblait à un ÉPOUVANTAIL.

Enfin, Violet, encore coiffée d'un seau métallique, pestait comme un

B O N H O M M E E N
F E R - B L A N C

M-MAIS...

de mauvaise humeur...

PFFF !

– J'ai trouvé ! Nous présenterons *Le Magicien d'Oz* !

s'écria mademoiselle Plié.

Puis, dans un élan d'ENTHOUSIASME, elle serra Tanja dans ses bras.

– Merci ! Tu m'as inspiré une excellente idée !

Et elle disparut à toute VITESSE dans le sentier, laissant les jeunes filles sans voix !

Le Magicien d'Oz

Il s'agit du célèbre roman de l'Américain Lyman Frank Baum, paru en 1900 et dont l'adaptation musicale au cinéma en 1939 est devenue un film culte.

On y découvre les aventures de la jeune Dorothy, qui, fuyant un ouragan, arrive dans le merveilleux pays d'Oz. Cherchant le chemin pour rentrer chez elle, elle se lie d'amitié avec trois personnages très particuliers : un lion en quête de courage, un épouvantail qui veut devenir intelligent et un bûcheron en fer-blanc qui aimerait avoir un cœur.

UNE HISTOIRE D'AMITIÉ

L'idée du professeur Plié conquit également les autres enseignants, et le jour même une réunion générale fut organisée dans l'amphithéâtre pour transmettre la **NOUVELLE** aux étudiants.

Les Téa Sisters, tout émues, s'assirent à côté d'Elly et de Tanja. Colette sortit le **CARNET** qu'elle avait apporté pour prendre des notes. Vanilla et ses **amies**, Zoé, Connie et Alicia, allèrent occuper leurs places habituelles au premier rang, tandis que Vik et Craig s'installaient au fond de la salle. Malgré leurs efforts pour sembler nonchalants

et peu intéressés, il était évident qu'eux aussi mouraient de **CURIOSITÉ** !

Le recteur Octave Encyclopédique de Ratis prit la parole, obtenant aussitôt l'ATTENTION du public.

– Il convient de remercier le professeur Plié, qui nous a fait une proposition vraiment intéressante pour le **SPECTACLE** organisé en l'honneur de madame Ratinsky.

Le recteur observa une courte pause, regarda l'assistance, puis reprit d'un ton solennel :

– Je vous annonce que nous mettrons en scène la comédie musicale tirée du livre *Le Magicien d'Oz* !

Des chuchotements émerveillés parcoururent la salle : nombre d'étudiants connaissaient déjà les formidables aventures de Dorothy au pays d'Oz. Mais d'autres regardaient tout autour d'eux d'un air PERPLEXE.

Au signal du recteur, Robert Show, le professeur d'art dramatique, s'avança.

– *Le Magicien d'Oz* raconte l'extraordinaire voyage d'une fillette prénommée Dorothy dans un monde magique, raconta-t-il en accompagnant ses paroles de grands gestes théâtraux. Un jour, un OURAGAN emporte l'enfant loin de sa maison, mais une bonne fée lui annonce que le magicien d'Oz peut l'aider à retrouver son chemin pour rentrer chez elle.

Dans la salle s'éleva un murmure d'approbation. Robert Show poursuivit :

– Dorothy s'engage le long d'un sentier pavé de **BRIQUES JAUNES**, et c'est le début d'une aventure qui lui révélera combien il est important d'avoir une âme *courageuse*, un esprit vif et un cœur généreux. Mais ce qu'elle apprendra surtout, c'est... *la valeur de l'amitié* !

Les Téa Sisters échangèrent un sourire : cette histoire semblait avoir été écrite tout spécialement pour elles !

Le voyage de Dorothy

Le professeur Show termina son récit :

– Sur le chemin, Dorothy rencontre trois PERSONNAGES uniques en leur genre… Un lion délicat, qui se croit poltron, mais se découvre une mine de **courage** ; un bûcheron en fer-blanc, qui rêve d'avoir du **COEUR** sans savoir qu'il possède déjà une grande sensibilité ; et enfin, un épouvantail convaincu de manquer d'*intelligence,* alors qu'il déborde de talent pour résoudre les problèmes !

«À la fin du voyage, Dorothy découvre une vérité essentielle : la seule magie qui soit – capable chaque fois de nous remettre sur la bonne voie – est celle qui se cache au fond de nos cœurs. En fait, le magicien ne possède aucun pouvoir, et le don le plus PRÉCIEUX que reçoit Dorothy est l'affection prodiguée par ses nouveaux amis !

La salle était plongée dans le silence le plus total, les étudiants écoutant l'histoire bouche bée.

Seule Colette faisait exception à l'immobilité générale, griffonnant sur les pages de son carnet...

SCRITCH... SCRITCH...

Souriant, Rosalyn Plié adressa un clin d'œil aux Téa Sisters : c'étaient elles cinq et Tanja qui, lors de leur COCASSE incident de la matinée, lui avaient fait penser aux personnages de cette célèbre histoire !

Madame Ratinsky intervint à son tour.

– Il nous reste peu de temps pour nous préparer, et les auditions seront très **SÉVÈRES** ! commença-t-elle en braquant un regard sérieux sur l'auditoire. Comme ce spectacle est une COMÉDIE MUSICALE, les candidats devront exceller dans l'interprétation, mais aussi dans le chant et dans la danse. Les étudiants échangèrent des regards DÉCOURAGÉS.

– Cette fois, ce ne sera pas du gâteau ! murmura Nicky, dépitée.

Mademoiselle Plié s'approcha des élèves pour leur distribuer une FEUILLE avec les dates des auditions.

– Les essais se dérouleront en trois phases, expliqua-t-elle. La première épreuve, portant sur l'interprétation, aura lieu demain, avec le professeur Show.

L'enseignant exécuta une profonde révérence, avec une expression si amusante que tous s'abandonnèrent à un grand éclat de rire.

– Ceux qui auront passé ce premier cap devront affronter, le lendemain, mon test de DANSE, continua Rosalyn Plié. Enfin, ceux qui l'auront réussi se soumettront à l'épreuve finale du CHANT, supervisée par le professeur Sourya.

Pam écarquilla les yeux et commenta à voix basse :

– Par mille bielles embiellées ! Le moins qu'on puisse dire est que ces trois jours ne seront pas de tout REPOS !

COLLÈGE DE RAXFORD

SPECTACLE DE FIN D'ANNÉE
AUDITIONS OFFICIELLES POUR
L'ATTRIBUTION DES RÔLES DE
LA COMÉDIE MUSICALE

LE MAGICIEN D'OZ

Mardi 9 heures - Cour du collège
Épreuve du cours d'interprétation, professeur Robert Show

Mercredi 9 heures - Salle de danse
Épreuve du cours de danse, professeur Rosalyn Plié

Jeudi 9 heures - Théâtre
Épreuve du cours de chant, professeur Sourya

CHACUNE SON RÔLE !

Tanja et les Téa Sisters voulurent aussitôt en savoir plus sur l'histoire du *Magicien d'Oz*. Paulina s'affaira sur l'ordinateur PORTABLE dont elle ne se séparait jamais et, au bout de quelques minutes, rapporta à ses amies rassemblées autour d'elle :

– L'héroïne est donc Dorothy. Elle a beaucoup d'amis et quelques ENNEMIS...

– La sorcière de l'Ouest ! réagit immédiatement Nicky.

Puis, voyant les mines *étonnées* de ses amies, elle expliqua :

– En fait... quand j'étais petite, ma nounou*

* Nous avons fait sa connaissance dans une autre aventure des Téa Sisters, *Le Mystère de la montagne rouge.*

me racontait souvent l'histoire du *Magicien d'Oz* pour m'**endormir** !

Paulina **soupira** :

– Moi, je la lisais souvent à ma petite *sœur* Maria ! Elle ressemble tellement à Dorothy !

– Évidemment, ce serait chouette d'interpréter le **PERSONNAGE** principal, ajouta Violet,

VOILÀ L'HISTOIRE !

EXTRA !

mais il y a bien d'autres rôles. Pourquoi ne pas essayer de jouer toutes ensemble ?

Mais Pam avait une autre **idée**.

– En fait, le professeur Show m'a proposé de m'inscrire à un cours spécialisé sur la régie, et j'aimerais vraiment en savoir plus sur les coulisses d'un spectacle : les **DÉCORS**, le son, les **ÉCLAIRAGES** !

– Magnifique ! commenta Colette. Moi aussi, je préférerais faire autre chose... Je ne veux pas risquer de me retrouver dans la peau d'une **PERFIDE** sorcière !

Paulina lui entoura les épaules en souriant.

– Tu serais peu crédible en sorcière, Coco !

Et Nicky d'ajouter :

– En effet ! J'ai du mal à t'imaginer l'air mal embouché, avec de longs cheveux rouge **SANG** et un grand chapeau **POINTU**...

– Waouh, Nicky ! s'exclama Tanja, impres-

sionnée. C'est comme ça que tu voyais cette
SORCIÈRE quand tu étais petite?
– Ben oui, répliqua son amie en riant. Elle me
faisait sacrément PEUR, puis j'ai grandi et
j'ai compris que ces mégères-là n'exis-
taient pas!
– Ah, vous voilà! Je vous **CHER-
CHAIS**! dit une voix derrière elles.

SALUT, LES FILLES!

Les filles se tournèrent d'un seul
mouvement et découvrirent
Vanilla qui avançait vers elles.
Elle portait un ensemble griffé,
agrémenté d'un élégant feutre en
pointe coiffant sa chevelure **FLAM-
BOYANTE**!
Le personnage imaginaire
dépeint par Nicky semblait soudain
devenu réalité!

UNE COMPÉTITION VRAIMENT LOYALE ?

Vanilla s'arrêta face aux six jeunes filles et leur **TENDIT** la main d'un air décidé.

Les Téa Sisters en restèrent bouche bée : leur camarade de collège ne s'était jamais montrée *amicale* avec elles !

– Nous allons nous affronter pour le meilleur rôle, affirma-t-elle. Mais, cette fois, je vous propose de conclure un pacte : que la **MEILLEURE** gagne sans aucune tricherie !

Les filles se regardèrent rapidement : était-ce bien là l'**ARROGANTE** Vanilla de toujours ? Même ses inséparables amies, qui l'accompagnaient, semblaient surprises !

Paulina s'avança et serra la main de Vanilla au nom de toutes.

– Nous sommes HEUREUSES de te l'entendre dire. Va pour une compétition loyale !

Son interlocutrice répliqua sur un ton ACIDE :

– De toute façon, je n'aurai aucun mal à gagner : les comédies musicales sont ma passion !

Sur ce, elle partit de son côté, la tête haute, persuadée d'obtenir le rôle principal sans avoir à manigancer la moindre embrouille.

Soudain, son PORTABLE sonna : c'était sa mère, Vissia de Vissen.

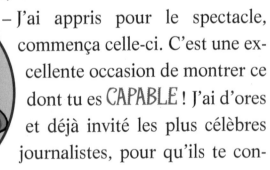

– J'ai appris pour le spectacle, commença celle-ci. C'est une excellente occasion de montrer ce dont tu es CAPABLE ! J'ai d'ores et déjà invité les plus célèbres journalistes, pour qu'ils te consacrent des interviews *spéciales*... Mais pour ça, il faut impérativement que tu décroches le premier rôle !

– Ne t'inquiète pas, répondit sa fille, c'est dans la poche !

– Attention, Vanilla ! J'ai mobilisé tout mon réseau de relations, et cette fois, impossible de perdre la **FACE**, d'accord ? insista Vissia. Et rappelle-toi qu'avant toute chose il faut toujours veiller à mettre hors jeu ses **RIVALES** !

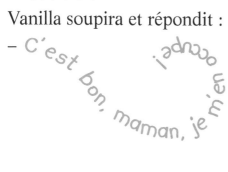

Vanilla soupira et répondit :

– C'est bon, maman, je m'en occupe !

JE SUIS UN SPORTIF, MOI !

Les derniers à sortir de l'amphithéâtre furent les garçons. Shen n'en finissait plus de s'enthousiasmer pour le spectacle.

– Ce sera parfait, inoubliable, FANTASOU-RISTIQUE !

– Pour toi, sans aucun doute ! le taquina Vik. Le professeur Show m'a dit que Paméla s'occuperait de la PRÉPARATION de la scène, et devinez qui sera son assistant ?

– Notre ami Shen, je parie ! répliqua Craig en lui donnant une TAPE amicale dans le dos. Tout un mois de travail au côté de ta Pam adorée… Que demander de plus ?

Shen ROUGIT jusqu'à la pointe des oreilles,

réajusta ses lunettes et toussota pour reprendre contenance.

– Et toi, Craig ? demanda Vik. Tu comptes participer aux **AUDITIONS** ?

Craig s'empourpra à son tour et balbutia :

– M-moi ? Ah… n-non ! Moi, je n'ai jamais *CHANTÉ*…

– Comment ça ? insista Shen. Tu m'as toujours dit que tu *adorais* les comédies musicales…

– Oui, c'est vrai, mais… moi… je ne veux pas chanter, voilà ! le coupa son ami, ennuyé. Je… je chante **FAUX**… et puis, je n'ai aucune mémoire…

Le pauvre garçon était si embarrassé qu'il fit quelques pas **À RECULONS**, sans s'apercevoir de la présence de Colette derrière lui, en pleine discussion avec ses amies.

PATATRAS !

Le choc fut léger, mais Colette, qui ne s'y attendait pas, laissa échapper son carnet.

– OUUUPS ! EXCUSE-MOI ! s'exclama Craig.

Du calepin de Colette s'envola alors une nuée de croquis en COULEURS.

– Mais qu'est-ce que c'est ?! s'écria Violet en se penchant pour ramasser les FEUILLES éparses.

– Ces **DESSINS** sont formidables ! commenta Tanja en les passant aux autres.

– Tu es une costumière-née, Coco ! la félicita Pam en considérant avec **ADMIRATION** les différentes figures stylisées.

Voilà donc ce que faisait Colette pendant la réunion ! Inspirée par les paroles du professeur Show, elle donnait **FORME** à l'histoire de Dorothy en croquant ses idées pour les **costumes** de scène.

Colette était hésitante :

– Ce ne sont que de vagues **ÉBAUCHES**, je ne sais pas si…

– Nous t'aiderons à les peaufiner et à les réaliser ! s'enthousiasma Elly. Qu'en dis-tu, Tanja ?

RADIEUSE, son amie acquiesça et proposa à Colette :

– Il faut nous mettre au travail tout de suite !

Les regardant s'éloigner, Craig les salua :

– Salut, les filles ! Euh... excuse-moi encore, Colette !

Il avait l'air abattu et pensif.

– Alors, Craig, le relança Shen, tu te présenteras aux AUDITIONS, oui ou non ?

Le garçon tressaillit et s'éclipsa en marmonnant :

– La barbe avec ces auditions ! Je suis un SPORTIF, moi, pas un chanteur !

CARTE BLANCHE À L'IMPROVISATION !

Le lendemain matin à 9 heures pile, bon nombre d'étudiants se retrouvèrent dans la cour du collège pour se soumettre à la première sélection : l'interprétation !

Violet, Nicky et Paulina se sentaient plutôt **ANGOISSÉES**, mais leurs amies, réunies autour d'elles, les encourageaient chaleureusement.

– **Vous allez y arriver, les filles !** leur dit Pam, avant de partir travailler à la scénographie du spectacle.

– **On est toutes avec vous !** renchérirent en chœur Colette, Elly et Tanja en se dirigeant vers le Club des Lézards noirs pour s'occuper des croquis de costumes.

Quant à Vanilla, elle avait des préoccupations bien différentes ! Tout en observant les Téa Sisters, elle cherchait une idée pour se débarrasser de ses rivales les plus DANGEREUSES.

– Nous avons eu très peu de temps pour concocter un plan digne de ce NOM ! soupira-t-elle en s'adressant à ses amies. Heureusement que Paméla nous épargne quelques efforts, ajouta-t-elle en faisant la moue. Elle s'est éliminée toute seule, comme cette frimeuse de Colette, qui a décidé de ne pas participer !

– Je savais bien que tu n'étais pas sérieuse avec cette histoire de compétition LOYALE, Vanilla ! commenta Zoé en se rapprochant d'elle avec un air de conspiratrice. D'ailleurs, Connie

REGARDEZ !

et moi avons déjà trouvé une bonne **blague** à leur faire… Regardez !

La mine réjouie, Connie montra aux autres la paume de sa main.

Alicia laissa échapper un petit cri :

– Ouah, j'adore les **bonbons** ! Je peux… ?

Mais son amie s'écarta aussitôt.

– Ça ne te réussirait pas ! Il s'agit d'un concentré de gorgonzola **SUPERPIQUANT** !

– Pas mal, les filles… s'émerveilla Vanilla en manipulant la sucrerie. Je suis curieuse de voir comment les Téa Sisters s'y prendront pour interpréter un rôle avec la gorge en **FEU** !

Alors que les Vanilla Girls ricanaient, Robert Show s'éclaircit la voix et la petite foule se tut.

– L'un des exercices les plus **DIFFICILES** pour un acteur est l'improvisation, expliqua-t-il.

Il s'agit de jouer en suivant son inspiration du moment, en exploitant la situation dans laquelle on se trouve, sans l'aide d'un scénario ou de répliques déjà écrites.

Puis il **FIXA** ses élèves et conclut dans un sourire :

– C'est ce que je vais vous demander de faire. Nous irons au village et chacun de vous devra **IMPROVISER** un petit numéro. Votre scène sera la **RUE** et le public les personnes que vous rencontrerez. Ceux qui parviendront à retenir l'*attention* des passants auront réussi l'audition !

Vanilla, qui depuis toute petite s'efforçait de capter le regard des autres, exulta !

« Pour moi, ce sera un jeu d'enfant ! »
pensa-t-elle.

Violet, en revanche, émit un gémissement : jouer sur une scène était déjà un défi à sa timidité, alors que dire de jouer en pleine rue… ?!

– Je ne pourrai jamais, les filles… Je suis trop gênée à l'idée de me produire devant tous les passants ! murmura-t-elle, dépitée.

Paulina la serra contre elle pour la réconforter.

– Tu y arriveras, Vivi ! Nous serons ensemble !

Et Nicky d'ajouter :

– Ce sera une expérience *inoubliable*, tu verras !

TU Y ARRIVERAS !

ON EST AVEC TOI, VIVI !

UN COUP DE POUCE AMICAL

Quelques minutes plus tard, le petit groupe conduit par le professeur Show quittait la cour pour suivre le *sentier* qui menait au village.

Vik s'aperçut alors que quelqu'un était resté en arrière... **CRAIG!**

Le garçon était venu passer l'audition, mais il ne semblait plus décidé à suivre les autres et errait **TRISTEMENT** dans la cour.

– Craig se comporte **BIZARRE-MENT**, non? Qu'en penses-tu, Shen? demanda-t-il à son voisin en le tirant par la manche.

Son ami acquiesça, pensif :

– En effet, et tu as vu comme il s'est **ÉNERVÉ** quand nous lui avons parlé de l'audition de chant…

– Peut-être qu'il aimerait participer mais que quelque chose le **BLOQUE** ! suggéra une voix derrière eux.

Les deux garçons se **retournèrent** et virent Bartholomé Delétincelle qui s'approchait, l'air affable.

– Vous, professeur ?! s'exclama Vik, SURPRIS.

QU'EN PENSEZ-VOUS, PROFESSEUR ?

Mais... ce n'est pas la première fois que Craig se présente à une épreuve !

– Exact ! confirma Shen. Et quand il y a une compétition, il est toujours le **PREMIER** à vouloir en être... Il a une telle assurance !

L'enseignant répliqua :

– Les apparences peuvent être TROMPEUSES, jeunes gens ! Cette sélection est différente de celles qui ont eu lieu à Raxford jusque-là !

Et de conclure en s'éloignant :

– Parfois, pour affronter un nouveau défi, on a besoin d'un COUP DE POUCE de ses amis...

Shen nageait en pleine confusion.

– Qu'a-t-il voulu dire ?

– J'ai peut-être compris... murmura Vik.

ALERTE AU SABOTAGE !

Entre-temps, le groupe du professeur Show avait rejoint le village de l'île des Baleines.

Les premières à se lancer furent les Vanilla Girls.

– Les filles, la danse est notre **spécialité** ! affirma Vanilla d'un ton résolu. Commençons à bouger et j'improviserai quelques vers.

Zoé était SCEPTIQUE :

– Mais… nous n'avons absolument jamais essayé ça !

Son amie la fusilla du regard, parfaitement sûre d'elle.

– Il suffit que vous reproduisiez toutes mes **MOUVEMENTS**, comme d'habitude ! Nous n'avons pas droit à l'erreur !

Elle se plaça au centre et se mit à évoluer, en chantant, avec élégance, suivie par ses camarades. Leurs enchaînements TONIQUES attirèrent immédiatement l'attention de quelques passants, qui, intrigués par ce spectacle, s'attardèrent pour les regarder.

Cependant, au bout de quelques minutes, leur numéro devint **ENNUYEUX** : elles répétaient sans cesse les mêmes gestes et les mêmes paroles.

Lorsqu'elles s'arrêtèrent, les rares flâneurs qui étaient restés leur adressèrent de **TIÈDES** applaudissements. Vanilla s'inclina en exultant, persuadée d'avoir réussi l'audition.

Ce fut alors le tour de Paulina et de Nicky !

Les deux filles avaient décidé de représenter une scène COMIQUE en tirant profit du lieu où elles se trouvaient.

Elles s'approchèrent de la vitrine d'un magasin

qu'un homme NETTOYAIT de l'intérieur. Paulina se plaça face à lui et se mit à reproduire ses mouvements, comme si le monsieur était face à un miroir. De la même manière, Nicky imita la façon de marcher d'un passant. Après quelques secondes d'étonnement, des badauds commencèrent à RIRE de bon cœur, de plus en plus nombreux, jusqu'à former une petite foule autour des deux filles.

CE FUT UN VÉRITABLE SUCCÈS !

Violet les avait regardées avec plaisir en attendant son tour. Elle n'était pas portée sur les scènes comiques, mais ses amies étaient vraiment impayables !

Les Vanilla Girls, elles, ne riaient pas du tout.

– GRRRR ! C'EST RAGEANT ! gronda Connie.

– Tout n'est pas perdu, chuchota Vanilla.

Elle s'approcha alors furtivement de Violet et lui demanda :

– Maintenant, c'est à toi, non ? Tu as le *trac* ?
Se fiant au pacte qu'elles avaient conclu la
veille, la jeune fille répondit en toute sincérité :
– Et comment ! J'en ai la voix qui TREMBLE !
Les yeux de Vanilla étincelèrent un instant et
elle répondit :
– Une amie vient de me donner cette
pastille... Prends-la, elle t'éclaircira
la voix !

Violet accepta sans se méfier et, peu après, commença son *IMPROVISATION*.

Ce fut la représentation la plus courte de l'histoire du spectacle !

Avant même qu'elle ait le temps d'ouvrir la bouche, elle sentit sa gorge **BRÛLER** fortement !

– Qu'est-ce qui t'arrive, Vivi ? s'exclama Nicky en se précipitant à son secours, en compagnie de Paulina.

Elles l'emmenèrent jusqu'à une **fontaine**, mais il fallut une bonne vingtaine de gorgées d'eau et un énorme **GRANITÉ** avant que Violet puisse reprendre son souffle et tout raconter !

Numéro surprise

Violet fut obligée de se retirer de la compétition. L'épreuve n'était pas encore finie, lorsqu'un ÉTRANGE groupe fit son apparition dans les rues du village. Vik et Shen, en tenue de sport, COURAIENT derrière Craig.

– Tu as eu une excellente **IDÉE**, Vik! dit celui-ci. J'avais justement besoin d'un petit footing!

Shen **HALETAIT** sous l'effort, mais tenait bon. Il adressa un clin d'œil à Vik: leur plan **FONCTIONNAIT** à merveille!

En fait, les deux amis avaient décidé d'aider Craig à se présenter au test à son insu!

Après l'avoir entraîné dans le village sous le prétexte de faire un peu d'**EXERCICE**, ils avaient imaginé un stratagème pour l'obliger à improviser sous les yeux du professeur Show.

Lorsqu'ils arrivèrent sur la place, Vik fit un signe à Shen, qui voulait dire:

« Que le spectacle commence! »

Shen, voyant arriver deux rongeurs qui transportaient des **CAISSES** de fruits et de légumes, appela Craig pour le distraire.

QUOI ?

Celui-ci tourna un court instant la tête pour lui répondre et…

PATATRAS !

Le pauvre Craig et les deux malheureux livreurs finirent les quatre fers en l'air sous une pluie de **POMMES** et de feuilles de *salade* !

Mais les mésaventures de Craig ne faisaient que commencer, et tout au long des rues du village, il offrit le spectacle d'un garçon victime d'une étonnante et désopilante série d'**INCIDENTS** !

ZUT !

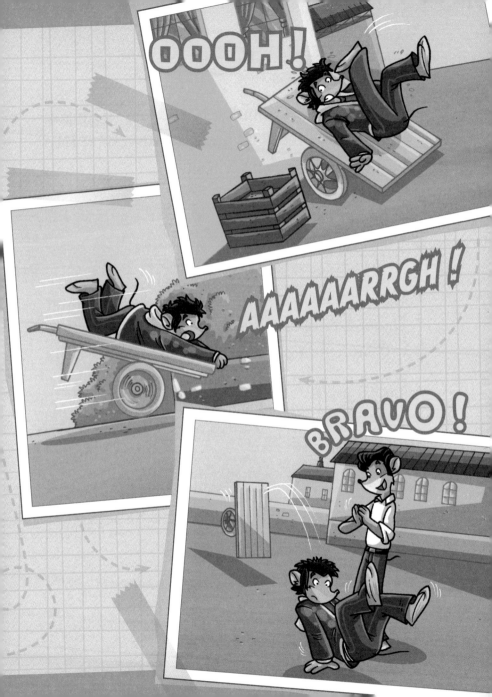

À la fin de son exhibition involontaire, Craig se retrouva aux pieds du professeur Show, et tous les passants l'acclamèrent :

– Ouiii !

– Bravo ! Encore !

– TU ES LE MEILLEUR !

L'enseignant sourit et lui tendit la main pour l'aider à se relever.

– L'improvisation burlesque que tes amis et toi avez présentée était vraiment DRÔLE ! Vous avez réussi l'épreuve d'interprétation ! conclut-il.

LA MODE
EN SCÈNE

À la fin de la journée, les Téa Sisters se retrouvèrent sur la scène du théâtre où devait être représentée la comédie musicale.

Paméla, qui avait travaillé depuis le matin au milieu des CÂBLES, des PROJECTEURS et des éléments de DÉCOR, était rayonnante : elle ne s'était jamais autant AMUSÉE !

Mais son expression changea du tout au tout lorsqu'elle apprit la blague au bonbon piégé faite à Violet.

– Un des habituels coups bas de Vanilla ! s'exclama-t-elle. Comment a-t-elle pu agir ainsi après nous avoir promis une compétition LOYALE ?!

– Malheureusement, nous ne pouvons pas prouver qu'elle l'a fait exprès. Vanilla jure qu'elle pensait qu'il s'agissait d'une pastille contre le mal de gorge, observa Paulina.

Violet chercha à rassurer ses amies.

– Peu importe. Après tout, vous êtes toujours en COMPÉTITION. Et moi, je peux aider Colette pour les COSTUMES.

Puis, regardant autour d'elle, elle ajouta :

– À propos, où est-elle passée ?

Juste à ce moment, Colette arriva sur le plateau.

– Quellechancequellechancequellechance !

claironna-t-elle en virevoltant au milieu de ses amies, un gros classeur rose sous le bras. Les croquis que nous avons présentés ont plu à tout le monde, et les professeurs ont décrété que nous serions les costumières du spectacle !

Les filles, à l'unisson, laissèrent fuser un joyeux « *BRAVOOO !* »

– Vous avez été formidables ! conclut Nicky en **CONTEMPLANT** le travail de ses amies. Les projets ébauchés par Colette la veille avaient été affinés.

– On peut participer aux *RÉJOUISSANCES* ? demanda Shen en entrant dans le théâtre, suivi de Craig et de Vik.

La nouvelle que les garçons avaient été reçus à l'épreuve d'interprétation s'était répandue comme une *TRAÎNÉE* de poudre dans tout le collège !

Lion

Fils de laine

Bottes

Bandelettes de papier crépon

Épouvantail

– Nous avons entendu parler de votre numéro comique, commença Pam. Tu n'étais vraiment au courant de RIEN, Craig?

– Non, Shen et Vik m'ont pris par surprise, confirma l'intéressé. Au début, j'étais fâché, puis j'ai compris qu'ils essayaient de m'aider… Tout en parlant, il gratifia ses amis d'une petite TAPE dans le dos et conclut:

– Mais la prochaine fois, prévenez-moi avant!

– Vu que tu as réussi la première audition, on te retrouvera demain matin dans la salle de danse pour la suivante, c'est ça? enchaîna Nicky.

Tissu à carreaux

Dorothy

Bûcheron en fer-blanc

Entonnoir

Feuilles d'aluminium

_NOOON, PAS QUESTION ! répondit Craig, à nouveau sur la défensive.

– Tu danses très BIEN. Pour toi, ce sera un jeu d'enfant ! observa Pam, stupéfaite.

– Oui, admit Craig, mais après il y aura l'audition pour le CHANT. Or... moi... en fait... je n'ai aucune mémoire, j'oublie toujours les textes des chansons ! Je n'ai vraiment pas envie de me RIDICULISER devant tout le monde...

GARE AUX DÉRAPAGES !

Le lendemain, les étudiants sélectionnés lors du test d'interprétation se retrouvèrent dans la salle de danse. Une légère AGITATION régnait parmi les concurrents, occupés à s'échauffer avant l'audition.

Dans leur coin, Vanilla et ses amies complotaient à mi-voix.

– Aujourd'hui, nous *TRIOMPHERONS*, j'en suis certaine, chuchota Vanilla. Mais d'abord, nous devons mettre hors jeu Paulina et Nicky. Pour ça, j'ai ma petite idée… dit-elle avec un air sournois en sortant de son sac un pot brillänt portant, bien en évidence, la marque *de Vissen.*

– Arrangeons-nous pour étaler sur les semelles de leurs ballerines un peu de cette **CRÈME** qu'a inventée ma mère. C'est un baume pour les mains : il est superhydratant, et surtout... **SUPERGRAS** ! expliqua-t-elle.

VOICI LEURS CHAUSSURES !

Vous allez voir le *vol plané* que vont faire ces frimeuses !

Connie et Zoé acquiescèrent en ricanant. Profitant de la FÉBRILITÉ générale, elles s'approchèrent des sacs de Nicky et Paulina, pendant que celles-ci, ignorantes du **DANGER**, discutaient avec Vik.

– Est-ce que Craig viendra ? lui demandait Paulina.

– J'ai essayé par tous les moyens de l'en **CONVAINCRE**, répondit Vik, dépité, mais il est catégorique : pas question de se retrouver à l'audition de chant !

Nicky répliqua, **DÉÇUE** :

– Pourtant, il y a certainement un moyen pour lui faire surmonter sa peur !

– Parfois, il est plus facile d'aider les autres que de se laisser aider... médita Paulina à voix haute.

Vik la regarda fixement : il venait d'avoir une idée ! Il remercia ses camarades et se **PRÉCI-PITA** hors de la salle. « Je vais lui faire croire que je ne peux pas me présenter sans lui, raisonna-t-il. Je le connais, il ne pourra pas me dire **NON**... »

DEUX SUCCÈS ET...
UNE GLISSADE !

Peu de temps après, Vanilla et ses amies pas-
sèrent l'épreuve avec succès, grâce à l'une de
leurs habituelles **chorégraphies** synchroni-
sées, répétitives mais impeccables.
Lorsque ce fut son tour, Paulina
s'approcha de la SONO pour
mettre sa musique, une douce
ballade **PÉRUVIENNE**
qu'elle écoutait quand elle
était enfant, avec sa petite
sœur Maria.
– Paulina, l'interpella Vanilla,
tu oublies tes **BALLERINES** !

– Merci, mais je n'en ai pas besoin ! répondit-elle.

Pour son essai, elle avait imaginé des enchaînements à exécuter pieds nus.

VANILLA FULMINAIT !

Les évolutions de Paulina dans la salle dessinèrent comme une ample vague aux tons changeants, qui fascina les spectateurs. Quand la bande-son s'arrêta, mademoiselle Plié salua sa prestation d'un long APPLAUDISSEMENT : Paulina avait réussi l'épreuve !

Alors Vik entra en scène, traînant derrière lui un Craig récalcitrant... Mais à peine celui-ci eut-il entendu les premières NOTES de leur musique qu'il se laissa emporter par le rythme, et les deux garçons dansèrent avec une exceptionnelle ÉNERGIE !

HOURRA!

BRAVO!

À la fin de leur numéro, Rosalyn Plié les félicita également, mais Craig secoua la tête, résigné.
– Pour moi, l'aventure s'arrête là. Je n'ai pas l'intention de chanter !
Immédiatement après, l'enseignante appela Nicky. Pleine de trac, la jeune fille enfila ses ballerines rouges, tandis que résonnaient les

À L'AIIIIIDE !

WIZZZZZ...

premiers accords de sa musique. Elle voulut courir au centre de la salle, mais...

WIZZZZZ... PATATRAS !

La crème **SUPERGRASSE** de Vanilla avait produit l'effet voulu : avant même d'avoir pu danser, Nicky s'était retrouvée par terre !
Aussitôt, ses amies et le professeur se précipitèrent AUPRÈS d'elle. Heureusement, elle ne s'était pas fait mal, mais une autre Téa Sister était ainsi *éliminée*.

LES TÉA SISTERS, AIDEZ-MOI !

Au terme de ces deux premiers jours d'audition, le bilan des Téa Sisters était plutôt DÉCEVANT. Les cinq amies se réunirent de nouveau dans le théâtre en chantier.

Colette, Elly et Tanja y avaient monté un petit atelier de COUTURE et, avec l'aide de Violet, travaillaient sans relâche à la confection des costumes. La scène était peuplée de mannequins DRAPÉS de tissus de toutes les tailles et de toutes les couleurs. Colette COUSAIT patiemment à une grande chemise les bandelettes de papier crépon représentant la PAILLE censée dépasser des habits de l'épouvantail. Violet ajustait avec soin des manches ARGENTÉES au costume du bûcheron en fer-blanc, qui était presque terminé.

Quant à Elly et Tanja, elles garnissaient de LAINE la perruque du lion pour lui faire une crinière moelleuse.

Nicky, assise par terre, tenait l'écheveau et commentait l'INCIDENT du matin.

– Je ne sais vraiment pas comment c'est arrivé.

– Moi, je sens comme un parfum de Vanilla derrière tout ça ! bougonna Pam.

Violet secoua la tête.

– Et *cette fois encore,* on ne peut rien prouver !

Shen surgit alors de l'obscurité des coulisses, portant une boîte à OUTILS pour Paméla. Il se mêla à la discussion :

– Ce n'est pas juste que Vanilla et ses amies se permettent de saboter vos essais sans que personne ne le sache ! déplora-t-il.

Et de poursuivre, écœuré :

– Elle dit à tout le monde que le rôle de l'**HÉROÏNE** est déjà à elle !

– Demain aura lieu l'audition décisive, soupira Paulina. Qui sait ce qu'elle est en train de mijoter...

En entendant le ton **découragé** de son amie, Colette affirma fermement :

– Tu y arriveras, Pilla ! Ta voix sera plus convaincante que n'importe quel **TRUC** qu'elle pourrait inventer !

– Vous vous rappelez ce que nous a enseigné Téa ? fit Nicky. Il faut toujours se battre pour réaliser ses **rêves** et ne jamais capituler face aux difficultés.

– Exact ! conclut Pam. Nous sommes les Téa Sisters, oui ou non ?

Les cinq amies formèrent un cercle et s'exclamèrent en chœur :

– **Mieux que des amies, des sœurs** !

Juste alors, une voix leur parvint de l'entrée du théâtre. C'était Vik.

– Je suis content de vous trouver, les **Téa Sisters** ! J'ai besoin de vous pour donner un coup de pouce à Craig !

Après avoir réussi les deux premières auditions, celui-ci s'obstinait en effet à REFUSER de passer la toute dernière : le chant.

Vik expliqua :

– Craig n'a jamais chanté en public. Il a peur d'avoir un TROU et de passer pour un imbécile aux yeux du public !

Violet réfléchit un moment, puis elle s'écria :

– J'ai une idée ! S'il a PEUR du public, il

J'AI BESOIN DE VOUS !

suffit de le faire chanter sans qu'il s'aperçoive de sa **PRÉSENCE** ! Voici comment on pourrait s'y prendre...

Aussitôt, tous se pressèrent autour d'elle pour écouter sa proposition.

MISSION CRAIG !

Le lendemain matin, à 8 heures précises, Craig apparut à l'entrée du théâtre.

La salle était plongée dans l'**OBSCURITÉ**. Seul un petit **SPOT** projetait un cercle de lumière sur les lattes du plancher, au centre de la scène.

OHÉ !

– **OHÉ !** appela-t-il, hésitant. Il y a quelqu'un ?

Il s'arrêta un instant sur le seuil et se gratta la tête avec perplexité : Vik lui avait demandé de venir l'aider, mais il n'y avait *PERSONNE*...

– Coucou, Craig, le salua joyeuse-

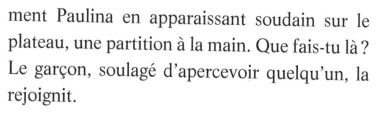
ment Paulina en apparaissant soudain sur le plateau, une partition à la main. Que fais-tu là ? Le garçon, soulagé d'apercevoir quelqu'un, la rejoignit.

– Vik m'a dit qu'on manquait de **BRAS** pour déplacer les décors, or il se trouve que je suis, en toute modestie, du type sportif ! fanfaronna-t-il en montrant ses BICEPS.

Tout en souriant, Paulina répliqua :

HÉ ! HÉ ! HÉ !

LES MUSCLES, ÇA SERT !

– Les autres vont sûrement **ARRIVER**. En attendant, tu ne voudrais pas m'aider ?

Elle lui expliqua qu'elle était en train d'apprendre une chanson pour la prochaine audition. Il s'agissait plus précisément d'un DUO.

– Moi, je chante le rôle de Dorothy, mais sans personne pour me donner la réplique, je ne parviens pas vraiment à trouver le *rythme*... se justifia-t-elle.

Craig balbutia :

– M-mais moi... tu sais... je ne connais pas les paroles... Demande plutôt à quelqu'un d'autre...

Paulina réussit pourtant à le convaincre en lui montrant la *PARTITION*.

– Regarde, les paroles sont inscrites ici. Tu n'as qu'à les lire...

Voyant l'enthousiasme de sa camarade, il finit par accepter et se mit à chanter. La voix **PROFONDE** et *mélodieuse* de Craig résonna dans la salle obscure.

Au début, le garçon était un peu sur ses gardes, ne lâchant pas le texte des yeux de peur d'oublier les paroles.

Puis il se laissa entraîner par Paulina et leurs deux voix s'entremêlèrent, emplissant la salle de VIBRANTES harmoniques. À la troisième reprise du refrain, les yeux de Craig se détachèrent définitivement de la partition et, porté par la MUSIQUE, il roucoula sans buter sur le moindre mot !

...Suis l'arc-en-ciel et la lumière dans ton cœur...

Un long **APPLAUDISSEMENT** accueillit la
fin de leur prestation.

CLAP! CLAP! CLAP! CLAP!

Craig regarda tout autour de lui et bafouilla,
abasourdi :

– M-mais… qui… qui est là ?!

Paulina, radieuse, le félicita :

– Tu as été **EXCELLENT** !

Les projecteurs situés en bordure de scène
s'allumèrent un à un, dissipant l'obscurité dans
laquelle était plongée la salle, et éclairèrent
Vik, Shen et les Téa Sisters.

– **BRAVO !**
– Tu as réussi !
– Hourra !

Puis les faisceaux lumineux se déplacèrent, révélant la présence également des professeurs du cours de madame Ratinsky.

– Voilà un bien **BEL** essai ! jugea Sourya en frappant dans ses mains.

Craig n'en REVENAIT pas.

– Mais… mais alors, vous vous êtes tous mis d'accord !

– Exactement ! répondit Vik. Quand nous leur avons exposé la situation, les professeurs ont été heureux de collaborer !

Sourya acquiesça :

– Donner sa chance à tous n'est que justice. Ç'aurait été dommage de te voir renoncer uniquement à cause de ta timidité.

La JOYEUSE ambiance qui régnait se dissipa lorsque retentit une voix stridente :

– QU'EST-CE QUI SE PASSE ICI ?!

VANILLA DÉSARÇONNÉE !

Vanilla, accompagnée de ses amies Connie, Zoé et Alicia, entra dans le théâtre comme une **FURIE**.

– Vous avez mis en place une séance d'essai **spéciale** ? vociféra-t-elle, toute rouge. Pourquoi n'en ai-je pas été informée ? Avançant vers la scène, elle menaça Paulina et Craig d'un doigt *accusateur*.

– Ce que vous avez fait n'est pas loyal ! Vous méritez d'être **DISQUALIFIÉS** !

CE N'EST PAS LOYAL !

L'espace d'un instant, les Téa Sisters restèrent sans voix, et ce fut Shen, lassé de l'attitude présomptueuse de Vanilla, qui réagit le premier.

– **ÇA SUFFIT !** s'exclama-t-il. C'est toi qui oses parler de loyauté, alors que tu ne rates pas une occasion de mettre des bâtons dans les **ROUES** des autres !

Vanilla s'attendait si peu à une telle réaction qu'elle en demeura **CLOUÉE** sur place.

TU OSES PARLER DE LOYAUTÉ !

HEIN ?!?

Et Shen poursuivit d'un air de défi :

– Si vraiment tu es la *meilleure*, tu n'as qu'à nous le prouver ! Les essais viennent à peine de commencer !

Les trois professeurs avaient suivi la DISCUS-SION en silence, mais en entendant la proposition de Shen, Sourya intervint en souriant :

– Très juste ! Pourquoi ne montes-tu pas sur scène pour nous faire entendre ta voix ?

Vanilla, interloquée, perdit toute son ARRO-GANCE.

– F-faire l'essai... maintenant ? bredouilla-t-elle en regardant autour d'elle comme à la recherche de soutien.

Zoé, Connie et Alicia rougirent en fixant le sol : elles ne savaient pas quel parti prendre !

La veille, les Vanilla Girls avaient CONSACRÉ tout leur temps à imaginer un plan permettant de mettre Paulina hors jeu et... elles en avaient

oublié d'étudier la chanson pour l'audition !
Vanilla, très **EMBARRASSÉE**, se replia en direction
de la porte.

– Euh… comme ça, au pied levé…? tenta-t-elle
de se **JUSTIFIER**. Merci, mais je préfère
remettre ça à plus tard !

Et elle disparut dans le couloir, suivie de ses
comparses.

DISPARAISSONS… POUR LE MOMENT !

DES RÔLES POUR TOUS

L'audition de chant se poursuivit tout au long de la matinée. L'après-midi, les professeurs se réunirent enfin dans la salle de danse pour distribuer les rôles.

– **QUELLE TENSION!** gémit Colette, qui attendait les résultats en compagnie de ses amies.

Paméla, elle, faisait les **CENT PAS** dans le couloir en grignotant un biscuit.

– Ils mettent une éternité à se décider! s'impatienta-t-elle.

– Comment fais-tu pour être aussi calme, Paulina? demanda Violet.

– Je ne le suis pas, grimaça son amie, mais je

crois que le plus **NERVEUX** de tous, c'est Craig !

Le pauvre garçon ne tenait pas en place ! Il se **levait** sans arrêt pour **aller** écouter à la porte, puis revenait s'asseoir... Il était sur les **CHARBONS** ardents !

Finalement, la porte s'ouvrit et les professeurs sortirent avec la liste des rôles.

Le professeur Show s'avança et lut :

– Dans l'histoire du MAGICIEN D'OZ, le personnage du bûcheron en fer-blanc pense manquer de cœur. Mais derrière une allure **ROBUSTE** et intrépide peut se cacher une âme SENSIBLE. Ce rôle ira donc à… CRAIG !

La nouvelle fut accueillie dans un murmure de joie, tandis que Craig souriait, satisfait.

Puis Rosalyn prit la parole :

NOUS AVONS ATTRIBUÉ LES RÔLES !

CRAIG

BÛCHERON
EN FER-BLANC

Vik

ÉPOUVANTAIL

Shen

LION

– L'ÉPOUVANTAIL, lui, croit n'avoir aucune jugeote, jusqu'à ce qu'il découvre que la plus grande *intelligence* est celle que l'on déploie au service de ses amis, exactement comme l'a fait Vik. C'est donc à lui que revient ce rôle !

Le jeune homme se *réjouit*, lui aussi, d'entendre prononcer son nom.

Le rôle du **LION** convaincu d'être un **froussard** fut attribué à Shen. En effet, celui-ci, d'habitude si timide et réservé, avait fait preuve durant les derniers jours d'un grand **COURAGE** pour défendre ses camarades en difficulté !

Les étudiants se rassemblèrent autour des trois garçons, qui, entre *félicitations* et bourrades dans le dos, se trouvèrent un peu estourbis.

– Et pour finir, conclut madame Ratinsky en personne, Dorothy, qui retrouve son chemin grâce au soutien de ceux qui l'aiment, sera interprétée par... Paulina !

– **HOURRA !** s'écrièrent les Téa Sisters, euphoriques.

La distribution des rôles n'était pourtant pas finie, et le professeur Show appela encore quatre personnes :

– Vanilla, Zoé, Alicia et Connie !

Vanilla, **ABATTUE** par sa nouvelle défaite, était restée à l'écart. Dès qu'elle entendit son nom, elle se secoua et recouvra son aplomb.

– Ouiiiiii ? répondit-elle d'une voix flûtée. Nous aussi, nous jouerons des personnages importants, n'est-ce pas, professeur ?

– Absolument ! répondit Robert Show. Toi, Vanilla, tu as montré une farouche détermination pour *vaincre* coûte que coûte.

– Et vous, Alicia, Connie et Zoé, poursuivit Sourya, vous êtes absolument parfaites... lorsqu'il s'agit de suivre, dans le moindre DÉTAIL, les IMPULSIONS de votre amie !

Les trois filles se regardèrent sans comprendre. Rosalyn Plié conclut :

– C'est pourquoi nous avons décidé de vous confier, à l'une et aux autres, les rôles tout à fait essentiels de la SORCIÈRE DE L'OUEST et de ses fidèles assistants, les singes volants !

À ces mots, Vanilla blêmit, puis devint écarlate, avant d'atteindre le summum de la FUREUR en découvrant les costumes conçus par Colette. Parmi les chuchotements ambiants résonna la voix outrée de la jeune orgueilleuse :

– Qu'est-ce que c'est que ça ?!

LA SORCIÈRE DE L'OUEST ET SES SINGES VOLANTS

Vous voudriez que je mette ce costume pour le spectacle?!

Pour le personnage de la sorcière de l'Ouest, Colette avait imaginé une robe **NOIRE** taillée dans des sacs en plastique et de la toile de jute.

– Je ne peux pas porter un vêtement aussi peu chic! se lamenta Vanilla. Je vais avoir l'air d'un **SAC-POUBELLE** ambulant!

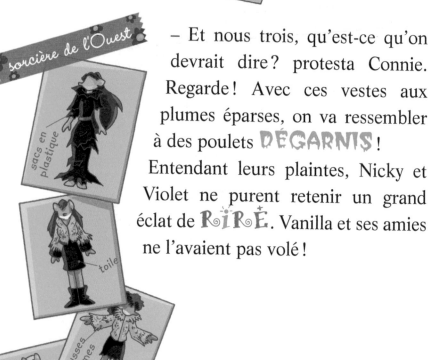

sorcière de l'Ouest

sacs en plastique

toile

fausses plumes

singes volants

– Et nous trois, qu'est-ce qu'on devrait dire ? protesta Connie. Regarde ! Avec ces vestes aux plumes éparses, on va ressembler à des poulets DÉGARNIS !

Entendant leurs plaintes, Nicky et Violet ne purent retenir un grand éclat de RIRE. Vanilla et ses amies ne l'avaient pas volé !

Tout le monde en scène !

Les semaines suivantes, les Téa Sisters furent totalement ABSORBÉES par la préparation du spectacle. Chaque après-midi, elles se retrouvaient au théâtre pour les répétitions, la troupe ne se séparant souvent que le soir, après le DÎNER !

Paulina arrivait toujours la première. Elle déambulait dans les coulisses avec son appareil PHOTO, prête à immortaliser les moments les plus importants et AMUSANTS de cette fantasouristique expérience !

Craig affrontait les répétitions avec **ENTHOU-SIASME**, mais il oubliait encore parfois les paroles des chansons, obligeant tous les acteurs à reprendre la scène depuis le début !

– MAINTENANT, ÇA SUFFIT ! explosa Vanilla un jour que le travail avait été particu-

lièrement long et exténuant. Tu n'as toujours pas retenu ton rôle ? Ce n'est pourtant pas difficile ! poursuivit-elle d'un ton GLACIAL. On va bientôt pouvoir t'appeler le bûcheron en ferblanc qui n'a aucune **MÉMOIRE** !

Piqué au vif, Craig rougit, mais Vik rétorqua :

— Dans ce cas, on va t'appeler la sorcière toujours en retard, d'accord, Vanilla ?

— C'est vrai, en n'étant pas ponctuelle, tu fais attendre tout le monde ! conclut Shen.

En effet, Vanilla n'arrivait jamais à l'heure aux répétitions, prétextant : « Une vraie diva doit se faire désirer ! » Et de fait, quand elle apparaissait, les autres avaient déjà commencé !

Mais le soir de la première, cette mauvaise habitude lui attira des **ENNUIS**... Une demi-heure avant le début du spectacle, elle était encore assise dans le fauteuil de sa loge, car elle avait insisté pour qu'un MAQUILLEUR célèbre la mette en valeur.

Pendant qu'elle était ainsi accaparée, les JOURNALISTES sollicités par sa mère se rendirent directement dans les coulisses pour interviewer les acteurs.

Ils réalisèrent en particulier un long entretien avec Paulina, interprète du rôle PRINCIPAL !

Quand Vanilla apparut, ils avaient fini leur travail et prenaient place dans le public. La jeune fille chercha à les rappeler, mais en vain : ils s'étaient installés pour assister au spectacle !

Peu après, un silence tendu par l'attente descendit sur le théâtre.

Paulina, dont le cœur BATTAIT la chamade, entendit les applaudissements du public derrière l'épaisse TENTURE rouge qui cachait la scène. Tandis qu'elle s'approchait, le rideau se leva et une chaude et éblouissante lumière la submergea…

★ ALORS LE SPECTACLE COMMENÇA ! ★

Un cadeau pour Maria

Exactement un mois plus tard, dans une ville très éloignée de l'île des Baleines, un facteur remit un **COLIS** soigneusement confectionné à une petite fille ÉMUE et intriguée.

C'EST POUR TOI !

WAOUH !

Vous la reconnaissez? Oui, c'est bien elle: Maria*, la petite sœur de Paulina!

Le public avait trouvé le spectacle du collège de Raxford inoubliable. Paulina avait été *félicitée* par le recteur en personne. Le journal du collège lui avait consacré une longue **interview**, et même madame Ratinsky avait laissé fuser un compliment.

QUELLE SATISFACTION!

Paulina voulait dédier son succès à une seule et unique personne: sa cadette, Maria! Elle lui avait envoyé toutes les **PHOTOS** prises pendant les répétitions, ainsi qu'une longue *lettre*...

* Nous avons fait sa connaissance dans une autre aventure des Téa Sisters, *La Cité secrète*.

Chère petite sœur,

Notre comédie musicale, *Le Magicien d'Oz*, a été un grand succès! J'aurais vraiment voulu que tu sois dans le public, face à moi. Mais dans cette lettre, je vais tout te raconter; comme ça, ce sera comme si tu avais été présente, tout près de moi!

Pour obtenir le rôle de Dorothy, j'ai dû passer trois auditions: interprétation, chant et danse... Quel marathon!

Heureusement, mes chères Téa Sisters sont restées à mes côtés et, grâce à leur soutien, tout a été plus facile. À propos,

elles t'embrassent fort; tu
vois, elles aussi
pensent bien à
toi! Colette et
Violet ont travaillé jour et nuit
à la réalisation
des costumes, et
le résultat a été

fantasouristique! Pam, elle, s'est occupée des
lumières et des décors, en compagnie de Nicky.
Elles ont réussi à créer des effets étonnants!
Paméla, derrière son tableau de bord, ressemblait à un vrai pilote de ligne! Pendant les
répétitions, elle n'arrêtait pas de dire: « Personne ne restera dans le noir tant que je serai
aux commandes! »

Mais la plus grande surprise est venue des garçons. Au début, Craig était mal à l'aise à l'idée de chanter devant tout le monde et oubliait souvent son texte. Mais au fil des jours, il s'est senti de plus en plus sûr de lui, et le soir de la première, il n'a pas raté une seule réplique et a été excellent !

Shen aussi a recueilli beaucoup d'applaudissements. Il faut dire qu'il était vraiment touchant
dans son costume de Lion... Et au moment des
répétitions, il a montré que, quand il le fallait, il
savait donner de la voix... et pas qu'un peu! Vik
a été une vraie révélation. Lorsqu'on répétait,
il était toujours de bonne humeur : il chantait ou
imaginait des petites scènes pour nous faire
rire... Il s'était complètement identifié à son personnage : le joyeux et insouciant Épouvantail!
Dommage qu'après avoir enlevé maquillage et
costume il soit redevenu fuyant et réservé...
comme on le connaît. En tout cas, nous avons pu
apprécier sa nature honnête et généreuse...
Tout le contraire de sa sœur, Vanilla! Elle, malheureusement, ne se dédit jamais... Pendant
la préparation du spectacle, elle est arrivée
systématiquement en retard et mal embouchée!

Même lors de la première représentation, elle n'a pas pu être ponctuelle ! Mais, quand elle est entrée en scène, elle était concentrée et a donné le meilleur d'elle-même, si bien qu'elle a été parfaite en sorcière de l'Ouest !

Le magicien d'Oz a été interprété par le professeur Show lui-même. Le voir jouer a été extraordinaire. Sourya aussi a participé au spectacle, et sa voix unique a aussitôt transporté le public dans un monde de fantaisie... Qui mieux qu'elle aurait pu interpréter la gentille sorcière du Nord qui aide Dorothy ?

Le soir de la première tout s'est passé comme dans un rêve et, pendant un instant sur scène, j'ai eu l'impression d'être vraiment la petite Dorothy, loin de la maison et à la découverte d'un monde immense et stupéfiant.

Heureusement, mes amies sont toujours là pour moi et, au fond de mon cœur, je sais toujours retrouver le chemin qui mène jusqu'à toi !

Petite sœur, j'aimerais que ce soit toi qui conserves le souvenir le plus précieux de ce spectacle... Il se trouve à l'intérieur du paquet : c'est la photographie encadrée de tous ceux qui ont participé à cette aventure !

Bisou sur la pointe de ton petit nez,

TABLE DES MATIÈRES

Geronimo Stilton

DANS LA MÊME COLLECTION

ÎLE
DES BALEINES

L'île des Baleines

1. Pic du Faucon
2. Observatoire astronomique
3. Mont Ébouleux
4. Installations photovoltaïques pour l'énergie solaire
5. Plaine du Bouc
6. Pointe Ventue
7. Plage des Tortues
8. Plage Plageuse
9. Collège de Raxford
10. Rivière Bernicle
11. *L'Antique Cancoillotterie,* restaurant et siège des *Messageries Ratiques* — *Transports maritimes*
12. Port
13. Maison des Calamars
14. *Zanzibazar*
15. Baie des Papillons
16. Pointe de la Moule
17. Rocher du Phare
18. Rochers du Cormoran
19. Forêt des Rossignols
20. Villa Marée, laboratoire de biologie marine
21. Forêt des Faucons
22. Grotte du Vent
23. Grotte du Phoque
24. Récif des Mouettes
25. Plage des Ânons

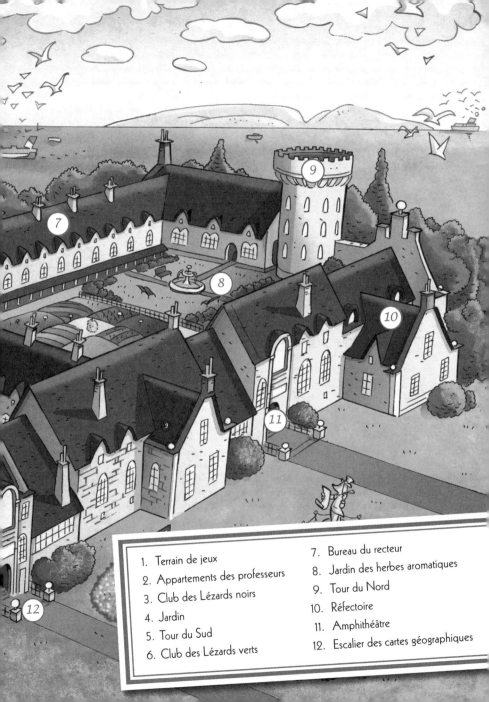

1. Terrain de jeux
2. Appartements des professeurs
3. Club des Lézards noirs
4. Jardin
5. Tour du Sud
6. Club des Lézards verts
7. Bureau du recteur
8. Jardin des herbes aromatiques
9. Tour du Nord
10. Réfectoire
11. Amphithéâtre
12. Escalier des cartes géographiques